Casse-têtes

Gilles Couture

Cet ouvrage est basé sur le livre *Sit & Solve Boggle Puzzles*
paru chez Sterling Publishing Co., Inc.

Publié par les Éditions BRAVO !, une division de
LES PUBLICATIONS MODUS VIVENDI INC.
55, rue Jean-Talon Ouest, 2e étage
Montréal (Québec) H2R 2W8
CANADA

www.groupemodus.com

Directeur éditorial : Marc Alain
Conception des jeux : Gilles Couture
Réviseures : Catherine Leblanc Fredette et Flavie Léger-Roy

Dépôt légal : Bibliothèque et Archives nationales du Québec, 2011
Dépôt légal : Bibliothèque et Archives Canada, 2011

ISBN 978-2-89670-043-1

Imprimé au Canada

TABLE DES MATIÈRES

Introduction
5

Règles et pointage
7

Grilles
8

Solutions
88

INTRODUCTION

Lorsque le Boggle est apparu dans les années 1970, il devint aussitôt un classique et, depuis, sa popularité ne s'est jamais atténuée. Les casse-têtes Boggle se jouent exactement comme le jeu d'origine, mais, dans notre version, nous mélangeons les lettres pour vous, les mettons en place et fournissons même les listes de solutions !

Comme vous n'avez plus à vous soucier de ces détails, ils ne vous reste simplement qu'à scruter la grille et à y dénicher les mots de cinq lettres ou plus. (Le Boggle d'origine demande des mots de trois lettres ou plus, mais nous savons que vous êtes prêt pour un défi de taille !

Vous pouvez créer les mots en assemblant les lettres horizontalement, verticalement et diagonalement. Que vous préfériez faire une course contre la montre ou trouver calmement le plus de mots possible, ces casse-têtes vous apporteront des heures de plaisir !

RÈGLES

Formez des mots de cinq lettres ou plus en passant d'une lettre adjacente à l'autre horizontalement, verticalement ou diagonalement. Une lettre ne peut être utilisée qu'une seule fois par mot. La liste de mots généralement reconnue est celle du Scrabble (ODS : Officiel du Scrabble), donc les mots composés ne sont pas admis, ni les noms propres. Comme les verbes sont acceptés, pensez à toutes les formes conjuguées et aux féminins et pluriels des mots.

POINTAGE

Un mot de cinq lettres rapporte 2 points; un mot de six lettres vaut 3 points; un mot de sept lettres donne 5 points et un mot de huit lettres ou plus rapporte 11 points. Vous pouvez aussi jouer en groupe et, accepter les mots de trois et de quatre lettres valant 1 point chacun. Dans ce cas, un mot trouvé par plus d'un joueur n'est pas comptabilisé.

1

Mots de 10 lettres : 2
Mots de 9 lettres : 1
Mots de 8 lettres : 1
Mots de 7 lettres : 5
Mots de 6 lettres : 11
Mots de 5 lettres : 19

F	E	E	R
M	N	E	O
C	V	F	E
I	A	S	R

Nombre de mots : 39
Expert : 28 mots et +
Pointage maximal : 150

2

Mots de 8 lettres : 1
Mots de 7 lettres : 6
Mots de 6 lettres : 12
Mots de 5 lettres : 23

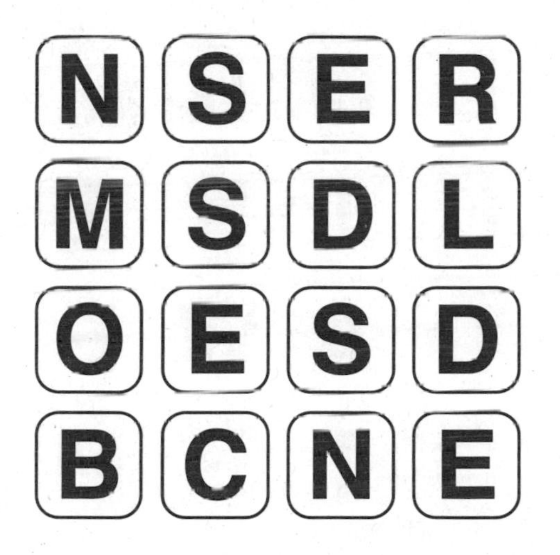

Nombre de mots : 42
Expert : 33 mots et +
Pointage maximal : 123

3

Mots de 8 lettres : 1
Mots de 7 lettres : 2
Mots de 6 lettres : 13
Mots de 5 lettres : 38

Nombre de mots : 54
Expert : 39 mots et +
Pointage maximal : 136

4

Mots de 9 lettres : 1
Mots de 8 lettres : 1
Mots de 7 lettres : 2
Mots de 6 lettres : 8
Mots de 5 lettres : 30

Nombre de mots : 42
Expert : 28 mots et +
Pointage maximal : 116

5

Mots de 8 lettres : 2
Mots de 7 lettres : 2
Mots de 6 lettres : 12
Mots de 5 lettres : 23

Nombre de mots : 39
Expert : 23 mots et +
Pointage maximal : 114

6

Mots de 10 lettres : 2
Mots de 9 lettres : 1
Mots de 8 lettres : 2
Mots de 7 lettres : 4
Mots de 6 lettres : 17
Mots de 5 lettres : 24

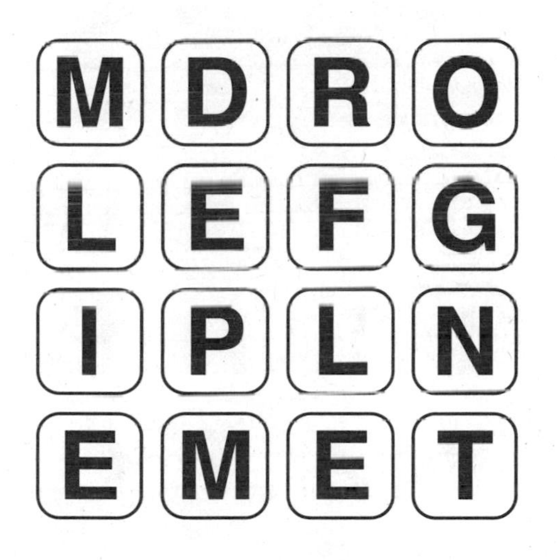

Nombre de mots : 50
Expert : 54 mots et +
Pointage maximal : 174

7

Mots de 8 lettres : 1
Mots de 7 lettres : 5
Mots de 6 lettres : 17
Mots de 5 lettres : 30

Nombre de mots : 53
Expert : 36 mots et +
Pointage maximal : 147

8

Mots de 8 lettres : 1
Mots de 7 lettres : 6
Mots de 6 lettres : 18
Mots de 5 lettres : 28

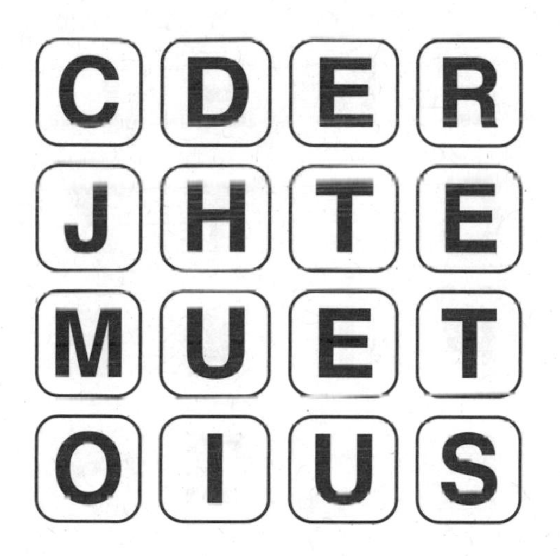

Nombre de mots : 53
Expert : 44 mots et +
Pointage maximal : 151

9

Mots de 8 lettres : 1
Mots de 7 lettres : 7
Mots de 6 lettres : 14
Mots de 5 lettres : 20

Nombre de mots : 42
Expert : 31 mots et +
Pointage maximal : 128

10

Mots de 8 lettres : 1
Mots de 7 lettres : 6
Mots de 6 lettres : 7
Mots de 5 lettres : 22

S	N	I	M
P	E	C	M
Y	I	O	L
L	U	A	I

Nombre de mots : 36
Expert : 25 mots et +
Pointage maximal : 103

Mots de 8 lettres : 4
Mots de 7 lettres : 7
Mots de 6 lettres : 13
Mots de 5 lettres : 25

E	R	D	S
O	L	F	A
P	E	R	L
B	D	W	U

Nombre de mots : 49
Expert : 35 mots et +
Pointage maximal : 168

1 2

Mots de 7 lettres : 1
Mots de 6 lettres : 12
Mots de 5 lettres : 36

E	O	I	F
D	G	M	B
R	E	A	P
L	O	E	M

Nombre de mots : 49
Expert : 32 mots et +
Pointage maximal : 113

Mots de 8 lettres : 1
Mots de 7 lettres : 3
Mots de 6 lettres : 10
Mots de 5 lettres : 32

T	B	L	E
E	V	L	O
D	U	G	I
W	R	A	L

Nombre de mots : 46
Expert : 29 mots et +
Pointage maximal : 120

Mots de 8 lettres : 1
Mots de 7 lettres : 1
Mots de 6 lettres : 10
Mots de 5 lettres : 35

Nombre de mots : 47
Expert : 26 mots et +
Pointage maximal : 116

Mots de 9 lettres : 1
Mots de 8 lettres : 2
Mots de 7 lettres : 7
Mots de 6 lettres : 19
Mots de 5 lettres : 19

Nombre de mots : 48
Expert : 27 mots et +
Pointage maximal : 145

Mots de 8 lettres : 1
Mots de 7 lettres : 2
Mots de 6 lettres : 6
Mots de 5 lettres : 25

A	S	G	R
L	P	O	F
K	C	T	R
M	O	B	E

Nombre de mots : 34
Expert : 20 mots et +
Pointage maximal : 89

Mots de 8 lettres : 1
Mots de 7 lettres : 2
Mots de 6 lettres : 10
Mots de 5 lettres : 20

M	O	S	L
E	J	S	I
U	G	I	B
V	R	A	N

Nombre de mots : 33
Expert : 22 mots et +
Pointage maximal : 91

Mots de 8 lettres : 3
Mots de 7 lettres : 3
Mots de 6 lettres : 9
Mots de 5 lettres : 26

Nombre de mots : 41
Expert : 29 mots et +
Pointage maximal : 127

Mots de 8 lettres : 1
Mots de 7 lettres : 3
Mots de 6 lettres : 9
Mots de 5 lettres : 20

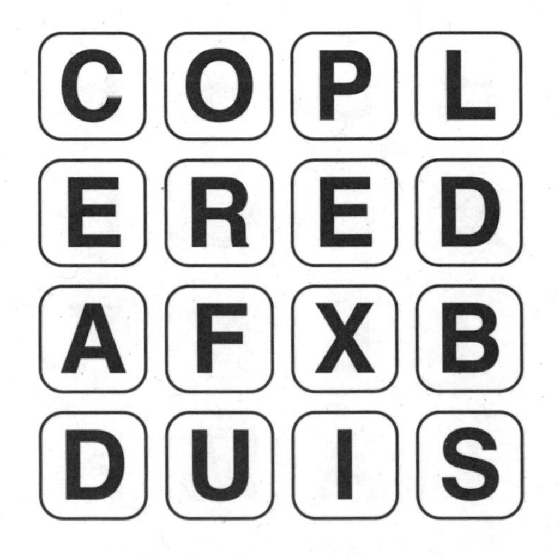

Nombre de mots : 33
Expert : 16 mots et +
Pointage maximal : 93

Mots de 8 lettres : 1
Mots de 7 lettres : 2
Mots de 6 lettres : 7
Mots de 5 lettres : 29

M	T	E	N
A	L	V	C
C	R	I	K
P	D	B	U

Nombre de mots : 39
Expert : 28 mots et +
Pointage maximal : 100

21

Mots de 8 lettres : 1
Mots de 7 lettres : 6
Mots de 6 lettres : 6
Mots de 5 lettres : 23

E	F	O	L
A	I	E	S
S	G	O	D
E	B	P	B

Nombre de mots : 36
Expert : 25 mots et +
Pointage maximal : 105

Mots de 8 lettres : 1
Mots de 7 lettres : 3
Mots de 6 lettres : 3
Mots de 5 lettres : 30

Nombre de mots : 37
Expert : 21 mots et +
Pointage maximal : 95

Mots de 8 lettres : 1
Mots de 7 lettres : 4
Mots de 6 lettres : 11
Mots de 5 lettres : 21

E	I	U	D
X	G	A	B
G	E	N	J
O	O	R	E

Nombre de mots : 37
Expert : 27 mots et +
Pointage maximal : 106

Mots de 8 lettres : 1
Mots de 7 lettres : 1
Mots de 6 lettres : 10
Mots de 5 lettres : 19

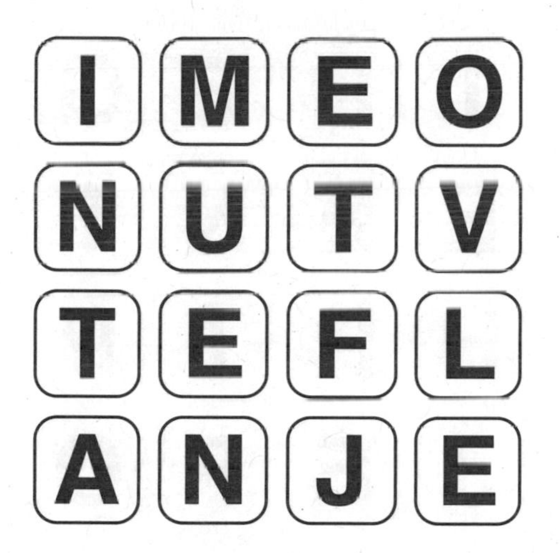

Nombre de mots : 31
Expert : 23 mots et +
Pointage maximal : 84

Mots de 8 lettres : 3
Mots de 7 lettres : 6
Mots de 6 lettres : 12
Mots de 5 lettres : 25

Nombre de mots : 46
Expert : 32 mots et +
Pointage maximal : 169

Mots de 8 lettres : 1
Mots de 7 lettres : 3
Mots de 6 lettres : 8
Mots de 5 lettres : 13

Nombre de mots : 25
Expert : 17 mots et +
Pointage maximal : 76

Mots de 8 lettres : 1
Mots de 7 lettres : 8
Mots de 6 lettres : 16
Mots de 5 lettres : 25

I	A	K	T
D	E	O	C
E	M	G	U
L	E	R	I

Nombre de mots : 50
Expert : 34 mots et +
Pointage maximal : 149

Mots de 8 lettres : 1
Mots de 7 lettres : 4
Mots de 6 lettres : 11
Mots de 5 lettres : 27

I	V	E	L
M	N	D	P
L	O	N	L
E	N	T	A

Nombre de mots : 43
Expert : 24 mots et +
Pointage maximal : 118

Mots de 9 lettres : 1
Mots de 8 lettres : 1
Mots de 7 lettres : 6
Mots de 6 lettres : 18
Mots de 5 lettres : 28

N	A	R	E
B	M	L	T
C	K	A	X
T	P	G	E

Nombre de mots : 54
Expert : 34 mots et +
Pointage maximal : 162

Mots de 8 lettres : 2
Mots de 7 lettres : 2
Mots de 6 lettres : 6
Mots de 5 lettres : 19

Nombre de mots : 29
Expert : 20 mots et +
Pointage maximal : 88

Mots de 8 lettres : 1
Mots de 7 lettres : 4
Mots de 6 lettres : 14
Mots de 5 lettres : 24

Nombre de mots : 43
Expert : 31 mots et +
Pointage maximal : 121

Mots de 8 lettres : 1
Mots de 7 lettres : 6
Mots de 6 lettres : 16
Mots de 5 lettres : 28

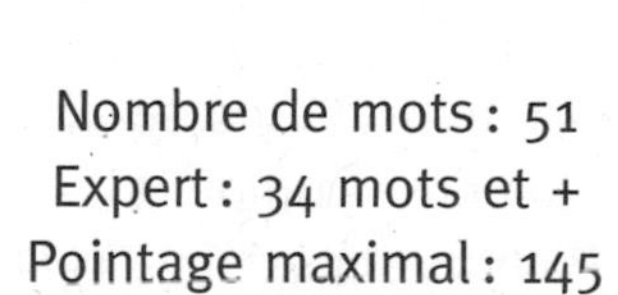

Nombre de mots : 51
Expert : 34 mots et +
Pointage maximal : 145

Mots de 9 lettres : 1
Mots de 8 lettres : 3
Mots de 7 lettres : 2
Mots de 6 lettres : 12
Mots de 5 lettres : 24

M	O	U	R
T	N	R	H
A	G	T	P
W	B	E	A

Nombre de mots : 42
Expert : 31 mots et +
Pointage maximal : 138

Mots de 8 lettres : 1
Mots de 7 lettres : 2
Mots de 6 lettres : 8
Mots de 5 lettres : 26

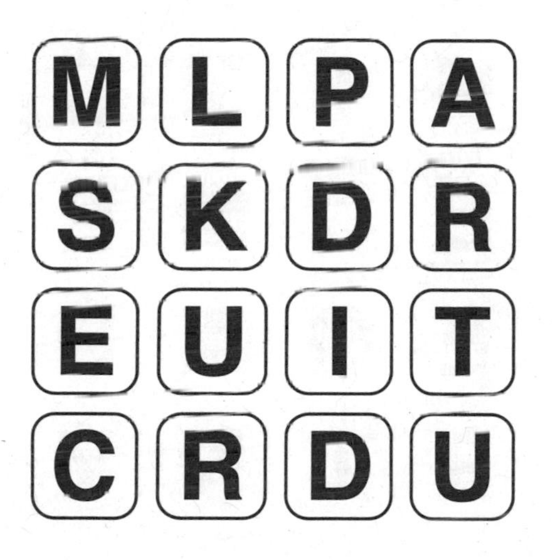

Nombre de mots : 37
Expert : 26 mots et +
Pointage maximal : 97

Mots de 8 lettres : 1
Mots de 7 lettres : 5
Mots de 6 lettres : 15
Mots de 5 lettres : 22

Nombre de mots : 43
Expert : 23 mots et +
Pointage maximal : 135

36

Mots de 7 lettres : 5
Mots de 6 lettres : 14
Mots de 5 lettres : 27

F	A	U	T
R	E	L	J
H	R	D	K
P	O	I	A

Nombre de mots : 46
Expert : 32 mots et +
Pointage maximal : 121

Mots de 10 lettres : 2
Mots de 8 lettres : 3
Mots de 7 lettres : 5
Mots de 6 lettres : 16
Mots de 5 lettres : 21

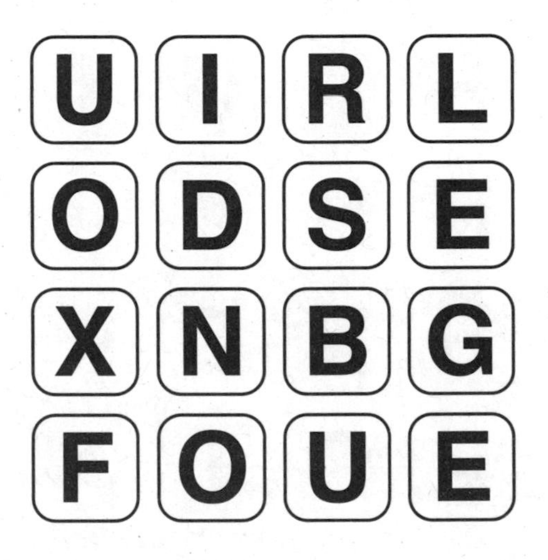

Nombre de mots : 47
Expert : 30 mots et +
Pointage maximal : 170

Mots de 8 lettres : 1
Mots de 7 lettres : 2
Mots de 6 lettres : 14
Mots de 5 lettres : 32

F	J	E	R
T	A	L	R
C	H	E	G
D	N	U	T

Nombre de mots : 49
Expert : 35 mots et +
Pointage maximal : 127

Mots de 8 lettres : 2
Mots de 7 lettres : 5
Mots de 6 lettres : 13
Mots de 5 lettres : 15

F	B	N	A
N	W	U	R
H	M	E	A
A	B	R	I

Nombre de mots : 35
Expert : 23 mots et +
Pointage maximal : 116

Mots de 8 lettres : 1
Mots de 7 lettres : 7
Mots de 6 lettres : 17
Mots de 5 lettres : 26

Nombre de mots : 51
Expert : 33 mots et +
Pointage maximal : 159

Mots de 8 lettres : 1
Mots de 7 lettres : 2
Mots de 6 lettres : 15
Mots de 5 lettres : 28

Mots de 8 lettres : 2
Mots de 7 lettres : 9
Mots de 6 lettres : 11
Mots de 5 lettres : 23

F	E	N	R
M	O	A	C
C	H	G	H
E	E	S	I

Nombre de mots : 45
Expert : 21 mots et +
Pointage maximal : 146

Mots de 9 lettres : 1
Mots de 8 lettres : 3
Mots de 7 lettres : 5
Mots de 6 lettres : 11
Mots de 5 lettres : 22

R	C	I	B
O	Q	U	C
A	E	T	L
E	T	I	P

Nombre de mots : 42
Expert : 31 mots et +
Pointage maximal : 146

Mots de 8 lettres : 3
Mots de 7 lettres : 5
Mots de 6 lettres : 8
Mots de 5 lettres : 14

T	R	E	D
S	H	P	I
A	O	X	L
N	E	F	O

Nombre de mots : 30
Expert : 21 mots et +
Pointage maximal : 92

Mots de 8 lettres : 2
Mots de 7 lettres : 3
Mots de 6 lettres : 21
Mots de 5 lettres : 27

N	A	T	R
O	L	E	T
M	H	B	E
I	E	C	U

Nombre de mots : 53
Expert : 34 mots et +
Pointage maximal : 143

Mots de 9 lettres : 1
Mots de 8 lettres : 3
Mots de 7 lettres : 4
Mots de 6 lettres : 7
Mots de 5 lettres : 38

Nombre de mots : 53
Expert : 27 mots et +
Pointage maximal : 151

Mots de 8 lettres : 2
Mots de 7 lettres : 7
Mots de 6 lettres : 14
Mots de 5 lettres : 27

M	T	E	R
O	E	O	G
M	N	A	D
J	E	E	W

Nombre de mots : 50
Expert : 28 mots et +
Pointage maximal : 153

48

Mots de 8 lettres : 4
Mots de 7 lettres : 4
Mots de 6 lettres : 15
Mots de 5 lettres : 30

Nombre de mots : 53
Expert : 33 mots et +
Pointage maximal : 169

Mots de 11 lettres : 1
Mots de 10 lettres : 1
Mots de 9 lettres : 1
Mots de 8 lettres : 2
Mots de 7 lettres : 4
Mots de 6 lettres : 14
Mots de 5 lettres : 24

Nombre de mots : 47
Expert : 33 mots et +
Pointage maximal : 165

50

Mots de 9 lettres : 1
Mots de 8 lettres : 1
Mots de 7 lettres : 6
Mots de 6 lettres : 15
Mots de 5 lettres : 25

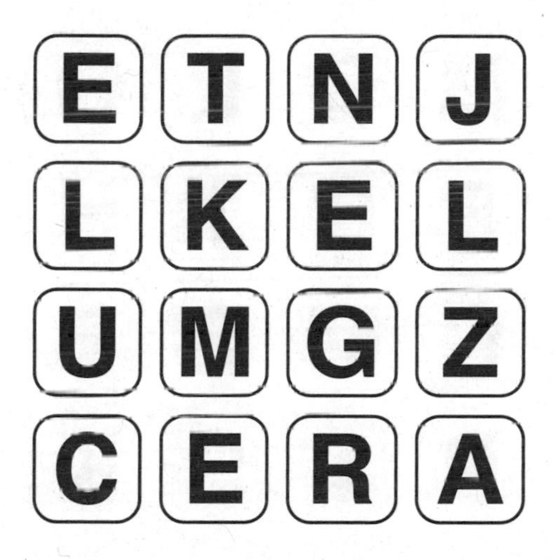

Nombre de mots : 48
Expert : 35 mots et +
Pointage maximal : 147

Mots de 8 lettres : 1
Mots de 7 lettres : 7
Mots de 6 lettres : 14
Mots de 5 lettres : 19

Nombre de mots : 41
Expert : 32 mots et +
Pointage maximal : 126

Mots de 8 lettres : 2
Mots de 7 lettres : 2
Mots de 6 lettres : 11
Mots de 5 lettres : 19

T	I	D	L
E	U	I	M
G	L	F	E
A	X	N	I

Nombre de mots : 34
Expert : 25 mots et +
Pointage maximal : 103

Mots de 8 lettres : 2
Mots de 7 lettres : 5
Mots de 6 lettres : 14
Mots de 5 lettres : 23

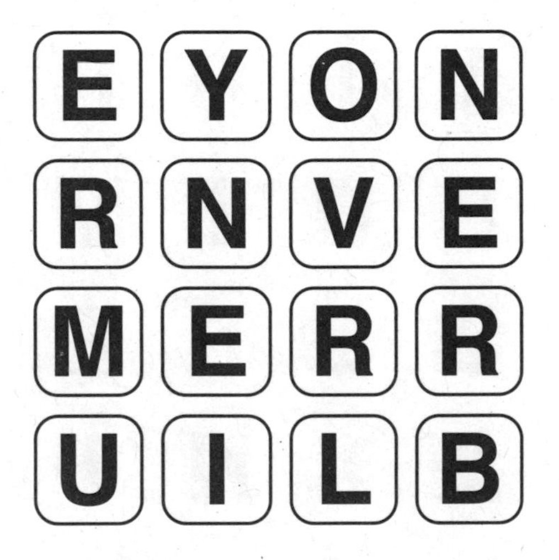

Nombre de mots : 44
Expert : 33 mots et +
Pointage maximal : 135

Mots de 8 lettres : 1
Mots de 7 lettres : 6
Mots de 6 lettres : 20
Mots de 5 lettres : 21

Nombre de mots : 48
Expert : 27 mots et +
Pointage maximal : 143

Mots de 8 lettres : 5
Mots de 7 lettres : 8
Mots de 6 lettres : 10
Mots de 5 lettres : 17

R	E	E	E
I	R	T	H
E	J	B	T
H	A	R	A

Nombre de mots : 40
Expert : 25 mots et +
Pointage maximal : 159

Mots de 8 lettres : 2
Mots de 7 lettres : 4
Mots de 6 lettres : 12
Mots de 5 lettres : 30

K	O	V	E
I	P	G	E
M	I	A	R
M	B	R	L

Nombre de mots : 48
Expert : 34 mots et +
Pointage maximal : 138

Mots de 8 lettres : 1
Mots de 7 lettres : 4
Mots de 6 lettres : 12
Mots de 5 lettres : 31

I K T M
E R D A
P I V E
O L M N

Nombre de mots : 48
Expert : 35 mots et +
Pointage maximal : 129

Mots de 8 lettres : 2
Mots de 7 lettres : 6
Mots de 6 lettres : 14
Mots de 5 lettres : 28

Nombre de mots : 50
Expert : 26 mots et +
Pointage maximal : 150

59

Mots de 9 lettres : 1
Mots de 8 lettres : 1
Mots de 7 lettres : 4
Mots de 6 lettres : 8
Mots de 5 lettres : 25

E	A	R	I
F	G	R	V
C	L	A	M
M	R	D	E

Nombre de mots : 39
Expert : 29 mots et +
Pointage maximal : 116

60

Mots de 8 lettres : 3
Mots de 7 lettres : 4
Mots de 6 lettres : 16
Mots de 5 lettres : 19

R	M	E	D
C	J	O	S
A	U	N	S
E	O	N	I

Nombre de mots : 42
Expert : 29 mots et +
Pointage maximal : 138

Mots de 8 lettres : 1
Mots de 7 lettres : 3
Mots de 6 lettres : 16
Mots de 5 lettres : 28

Nombre de mots : 48
Expert : 27 mots et +
Pointage maximal : 130

62

Mots de 8 lettres : 1
Mots de 7 lettres : 4
Mots de 6 lettres : 15
Mots de 5 lettres : 26

Nombre de mots : 46
Expert : 27 mots et +
Pointage maximal : 128

Mots de 9 lettres : 1
Mots de 8 lettres : 1
Mots de 7 lettres : 1
Mots de 6 lettres : 15
Mots de 5 lettres : 32

T	R	K	E
P	E	U	H
P	A	B	L
T	M	L	E

Nombre de mots : 50
Expert : 26 mots et +
Pointage maximal : 146

64

Mots de 8 lettres : 1
Mots de 7 lettres : 4
Mots de 6 lettres : 12
Mots de 5 lettres : 30

Nombre de mots : 47
Expert : 21 mots et +
Pointage maximal : 127

Mots de 8 lettres : 1
Mots de 7 lettres : 3
Mots de 6 lettres : 14
Mots de 5 lettres : 22

Nombre de mots : 40
Expert : 26 mots et +
Pointage maximal : 112

Mots de 9 lettres : 1
Mots de 8 lettres : 1
Mots de 7 lettres : 3
Mots de 6 lettres : 16
Mots de 5 lettres : 28

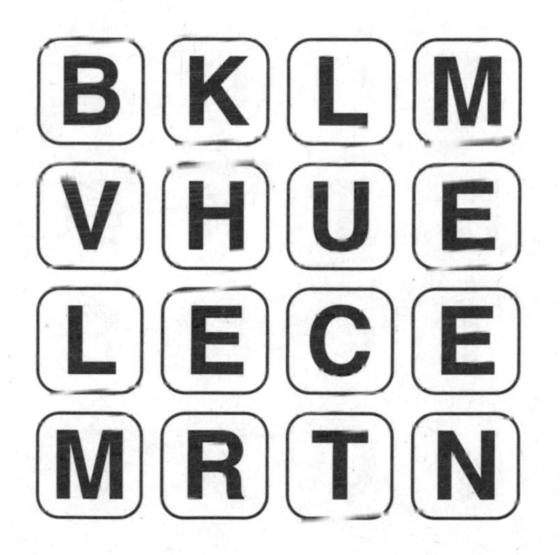

Nombre de mots : 49
Expert : 31 mots et +
Pointage maximal : 125

67

Mots de 9 lettres : 3
Mots de 8 lettres : 1
Mots de 7 lettres : 3
Mots de 6 lettres : 7
Mots de 5 lettres : 22

Nombre de mots : 36
Expert : 20 mots et +
Pointage maximal : 124

Mots de 8 lettres : 1
Mots de 7 lettres : 4
Mots de 6 lettres : 14
Mots de 5 lettres : 17

A	T	L	R
R	V	M	O
E	B	O	I
S	P	K	T

Nombre de mots : 36
Expert : 21 mots et +
Pointage maximal : 107

69

Mots de 9 lettres : 1
Mots de 8 lettres : 1
Mots de 7 lettres : 6
Mots de 6 lettres : 15
Mots de 5 lettres : 23

R	E	V	H
J	O	N	I
F	R	L	P
G	N	A	C

Nombre de mots : 46
Expert : 23 mots et +
Pointage maximal : 143

Mots de 10 lettres : 1
Mots de 8 lettres : 1
Mots de 7 lettres : 4
Mots de 6 lettres : 12
Mots de 5 lettres : 31

A	Y	E	M
B	L	O	R
O	U	M	R
I	N	C	G

Nombre de mots : 49
Expert : 26 mots et +
Pointage maximal : 202

Mots de 9 lettres : 3
Mots de 8 lettres : 1
Mots de 7 lettres : 2
Mots de 6 lettres : 9
Mots de 5 lettres : 14

Nombre de mots : 29
Expert : 32 mots et +
Pointage maximal : 109

Mots de 8 lettres : 2
Mots de 7 lettres : 4
Mots de 6 lettres : 14
Mots de 5 lettres : 25

H	C	A	A
B	E	L	P
D	J	A	R
U	T	N	T

Nombre de mots : 45
Expert : 31 mots et +
Pointage maximal : 134

Mots de 9 lettres : 1
Mots de 8 lettres : 3
Mots de 7 lettres : 6
Mots de 6 lettres : 8
Mots de 5 lettres : 24

I	F	U	T
T	I	N	R
M	R	F	I
O	A	D	E

Nombre de mots : 42
Expert : 30 mots et +
Pointage maximal : 146

Mots de 8 lettres : 1
Mots de 7 lettres : 2
Mots de 6 lettres : 14
Mots de 5 lettres : 25

Nombre de mots : 42
Expert : 20 mots et +
Pointage maximal : 113

Mots de 9 lettres : 1
Mots de 8 lettres : 4
Mots de 7 lettres : 4
Mots de 6 lettres : 15
Mots de 5 lettres : 23

C	A	B	I
N	E	T	C
T	Z	X	R
E	N	A	P

Nombre de mots : 47
Expert : 29 mots et +
Pointage maximal : 166

Mots de 8 lettres : 2
Mots de 7 lettres : 4
Mots de 6 lettres : 13
Mots de 5 lettres : 21

Nombre de mots : 40
Expert : 27 mots et +
Pointage maximal : 123

Mots de 8 lettres : 4
Mots de 7 lettres : 10
Mots de 6 lettres : 10
Mots de 5 lettres : 22

L	A	E	K
O	P	L	D
I	R	P	R
M	E	E	M

Nombre de mots : 46
Expert : 33 mots et +
Pointage maximal : 168

Mots de 9 lettres : 1
Mots de 8 lettres : 1
Mots de 7 lettres : 7
Mots de 6 lettres : 9
Mots de 5 lettres : 32

Nombre de mots : 50
Expert : 33 mots et +
Pointage maximal : 148

79

Mots de 8 lettres : 1
Mots de 7 lettres : 2
Mots de 6 lettres : 10
Mots de 5 lettres : 34

M	E	D	N
N	I	R	K
P	M	A	Y
H	G	P	U

Nombre de mots : 47
Expert : 32 mots et +
Pointage maximal : 119

Mots de 8 lettres : 1
Mots de 7 lettres : 6
Mots de 6 lettres : 9
Mots de 5 lettres : 28

M	K	U	D
E	T	A	G
N	O	N	G
R	M	E	I

Nombre de mots : 44
Expert : 27 mots et +
Pointage maximal : 124

SOLUTIONS

1

RÉFÉRENÇAI, RÉFÉRENÇAS, RÉFÉRENÇA, ENCAVÉES, ENCAVÉE, ENCAVER, ENVASÉE, ENVASER, RÉFÉRÉE, AVÉRÉE, CAFRES, CAVÉES, ENCAVÉ, ENFERS, ENVASÉ, ENVIAS, ÉVASER, FORÉES, MENÉES, RÉFÉRÉ, AVÉRÉ, CAFÉS, CAFRE, CASÉE, CASER, CAVÉE, CAVER, ENCAS, ENFER, ENVIA, ÉVASÉ, FOÈNE, FORÉE, MENÉE, MENER, ORÉES, RÊVAI, RÊVAS, SAFRE

2

DÉBOSSER, BOËSSES, DÉBOSSE, DRESSES, ÉCOSSER, ESSENCE, RESSENS, BOËSSE, BOSSER, CÈDRES, CESSER, CESSES, COSSER, DENSES, DRESSE, ÉCOSSE, MESSER, MESSES, OBÈSES, BÉDÉS, BÔMES, BOSSE, CÉDER, CÈDES, CÈDRE, CÈNES, CENSÉ, CESSE, COSSE, DÉMOS, DENSE, ÉDENS, ESSES, LÈSES, MÈDES, MÈNES, MENSE, MESSE, OBÈSE, SCÈNE, SÉNÉS, SENSÉ

SOLUTIONS

3

TRALUIRE, DORERAI, DOUAIRE, DILUÂT, DIOULA, DORERA, IOULÂT, MÉTRAI, MÉTRÂT, ROUIRA, ROULAI, ROULÂT, TRAIRE, TRALUI, TROUAI, TROUÂT, AIRER, ARMER, ARMET, ARROI, AUDIO, DILUA, DORAI, DORÂT, DORER, DOUAI, DOUAR, DOUÂT, IOULA, LARME, LUIRA, LUIRE, MÉROU, MÉTRA, MÉTRO, RAIRE, RÉTRO, ROUAI, ROUÂT, ROUIR, ROULA, TAIRE, TARER, TARET, TARIR, TARTE, TERRI, TOLAI, TOLAR, TRAIL, TRIAL, TRIÂT, TROUA, ULTRA

4

ORGANIQUE, CLANIQUE, CLANGOR, ORGANDI, CILLAI, CLAQUE, GNAQUE, GRADIN, GRANDI, LAÏQUE, NIAQUE, ROGNAI, ANGLE, ANGON, ANGOR, ARGON, CELAI, CILLA, CILLE, DINAR, DINGO, ÉLAND, ÉQUIN, GADIN, GARNI, GLAND, GRAIN, GRAND, HÉLAI, LADIN, LAGON, LAQUE, LARGO, NIQUA, NIQUE, ONGLE, ORALE, ORNAI, QUAND, RADIN, RAQUE, ROGNA

SOLUTIONS

5

REBIQUER, SPHÉRULE, REBIQUE, RELIQUE, BERLUE, ÉPURER, FRIQUÉ, LIBÈRE, LIBERS, LIEURS, PELURE, PERLER, RIBLER, RIEURS, RUILER, SPHÈRE, BILER, BIQUE, ÉLUER, ÉPURE, FIBRE, FILER, HERPE, IBÈRE, LÈPRE, LEURS, LIBER, LIBRE, LIEUR, LIURE, PERLE, PEULE, PEURS, RELUE, RELUI, RIBLE, RIEUR, RUILE, RUPER

6

DÉPLIEMENT, REPLIEMENT, DÉLIEMENT, PLIEMENT, TEMPLIER, ÉLIMENT, EMPILER, GRÊLENT, LIEMENT, DÉPLIE, EMPILE, EMPLIE, ENFLER, ÉPELER, ÉPILER, FÊLENT, LIMENT, MÊLENT, PÈLENT, PIMENT, REFLET, RELENT, REPENT, REPLET, REPLIE, TEMPLE, DÉLIE, ÉLEMI, ÉLIME, ÉMIER, EMPLI, ENFER, ENFLE, ÉPÈLE, ÉPIER, ÉPILE, FRÊLE, GRÊLE, IMPER, MÊLER, MILER, PELER, PELTE, PILER, PLIER, RELIE, REPLI, ROGNE, TEMPE, TEMPI

7

BRÛLANTE, BRÊLANT, BRÛLANT, CERNEAU, ENLACER, RUILANT, BLEUET, BRANTE, BREANT, BRELAN, BUREAU, CALURE, CANOTE, CARNET, CELANT, ENLACE, LACUNE, NUCALE, TENACE, TENREC, TONALE, VIRALE, VIRANT, ALULE, BLEUE, BRÊLA, BRÛLA, BRÛLE, BUIRE, BURLE, BURNE, CALER, CALTE, CANOË, CANOT, CARNE, CELUI, CERNA, CERNE, LACER, LIURE, LUIRA, LUIRE, NUCAL, NUERA, RÉANT, REÇUE, RELUI, RUILA, TENUE, TONAL, URANE, VIRAL

8

DÉTESTER, CHERTÉS, CHESTER, CHUTÉES, DÉTESTE, MOUETTE, OUTRÉES, CHERTÉ, CHUTÉE, CHUTER, CHUTES, DETTES, ÉTÊTER, ÉTÊTES, ÉTHÉRE, HUTTES, MIETTE, MUETTE, MUTÉES, OUTRÉE, SETTER, SUETTE, TESTÉE, TESTER, TÊTUES, CHÈRE, CHUES, CHUTE, DETTE, ESTER, ÉTÊTE, ÉTHER, HÊTRE, HUTTE, JUTER, JUTES, MOIES, MOUES, MUETS, MUTÉE, MUTER, MUTES, OUEST, OUIES, OUTRE, STÈRE, TESTE, TÉTÉE, TÉTER, TÊTES, TÊTUE, TÊTUS, THÈTE

9

PIPETTES, CEINTES, ÉPICENT, GUETTES, GUETTEZ, PETITES, PIPETTE, SEXTINE, CEINTE, ENTITÉ, ÉPIENT, ÉPINCE, ÉPITES, GUETTE, PETITE, PINTES, PINTEZ, PITEUX, PUTTES, PUTTEZ, TINTES, TINTEZ, CEINT, CITES, CITEZ, ENTES, ENTEZ, ÉPICE, ÉPINE, ÉPITE, NIXES, PETIT, PINCE, PINTE, PITES, PUTTE, PUTTI, SEXTE, SEXUÉ, TEXTE, TIENT, TINTE

10

ENCLOUAI, ENCLOUA, IMMOLAI, MINCIES, PICOLAI, SECOUAI, SPÉCIAL, CLAIES, CLOUAI, IMMOLA, MINCES, MINCIE, PICOLA, SECOUA, AÏOLI, ALOÈS, CEINS, CINÉS, CLAIE, CLOUA, ÉPIAI, LAIES, LICES, LICOL, LICOU, LIENS, LOUAI, MIENS, MINCE, MINCI, MINES, MOIES, NICOL, OUÏES, PEINS, SÉPIA

11

DROPERAS, FRÔLERAS, POÊLERAS, RÉOPERAS, DÉFLORE, DÉPLORE, DROPERA, ÉRAFLER, FRÔLERA, POÊLERA, RÉOPERA, ARÉOLE, DROPER, ÉPLORE, ÉRAFLE, FERLAS, FERLER, FRÔLER, OPÉRAS, PERLAS, PERLER, POÊLER, RAFLER, SALURE, RÊLER, DARDE, DRÔLE, DROPE, FARDE, FÊLER, FÉRAL, FERAS, FERLA, FERLE, FLORE, FRÊLE, FRÔLE, LADRE, LARDE, LORDS, OPÉRA, PELER, PERFS, PERLA, PERLE, POÊLE, RAFLE, SAFRE, SARDE

12

REGIMBA, ABÎMÉE, ABÎMER, AMERLO, BIGAME, DÉGRÉA, DÉGRÉE, DÉMAGO, IMAGÉE, IMAGER, PAGODE, PÉAGER, RÉMIGE, ABÎME, AGRÉE, AMIGO, BAGEL, BIGRE, BIOME, DÉGEL, DEGRÉ, DOGME, DRÈGE, DRÔLE, FIGEA, FIGÉE, FIGER, GÉODE, GODÉE, GODER, GROLE, IGAME, IMAGE, IMAGO, IODÉE, IODER, MAËRL, MÉLOÉ, MERDE, MIGRE, OMÉGA, PAGÉE, PAGEL, PAGER, PAGRE, PÂMÉE, PÂMER, PÉAGE, RÉAGI

13

DURAILLE, BEUGLAI, DRAILLE, GRAILLE, ARGILE, BEUGLA, BEUGLE, BLIAUD, DRAGUE, LARGUE, LIARDE, LIGULE, LOGUAI, RAILLE, AGILE, AIGLE, AIGUË, AILLE, ALGOL, ALGUE, ARDUE, ARGOL, ARGUE, BLUET, DURAI, DURAL, DUVET, ÉLUAI, ÉLUDE, GARDE, GAUDE, GAULE, GILLE, GLIAL, GLUAI, LARDE, LARGO, LIARD, LIGUA, LIGUE, LOGUA, LOGUE, OILLE, RAGUE, VEULE, VULGO

14

FOVÉALES, FOVÉALE, ÉLAVES, ÉLEVAS, FABLES, FAVELA, FÉALES, FOVÉAL, LABELS, OBÈLES, OVALES, SLAVES, ABLES, ALÉSA, ALFAS, ALOÈS, BALES, BALSA, BÊLAS, BÊLES, BLASE, BLÉSA, ÉLAVE, ÉLEVA, ELFES, ÉVASE, FABLE, FÉALE, FÊLAS, FÊLES, FOVÉA, GELAS, GÈLES, LABEL, LAVES, LEVAS, LOBES, LOFES, OBÈLE, OBELS, OVALE, SALES, SELFS, SLAVE, VALSE, VÊLAS, VÊLES

15

RETOUCHER, LOCUTEUR, RETOUCHE, CHUTEUR, CLÔTURE, CLOUTER, COUTURE, LOUCHER, LUNCHER, TOUCHER, CHERRE, CHERTÉ, CHUTER, CLOUER, CLOUTE, COULER, COÛTER, COUTRE, LOCHER, LOCULE, LOUCHE, LOUTRE, LUNCHE, NOCHER, NOUCLE, NOUURE, TOUCHE, URÈTRE, YOURTE, CHUTE, CLOUE, COULE, COÛTE, CULER, CULOT, ÉTHER, HUTUE, LOCHE, LOUER, LOURE, LUNCH, LUTER, OCULÉ, ONCLE, OUCHE, OUTRE, TERRE, TOUER

16

CLAPOTER, CLAPOTE, OCTOBRE, APÔTRE, CLAPOT, COPALS, COPLAS, SAPOTE, SORBET, BÉROT, CLAPS, COPAL, COPLA, COPTE, COTER, COTRE, FORET, FORTE, GORET, KOTER, KOTOS, MOCOS, MOTOS, OPTER, PORTE, PORTO, PSORE, REBOT, ROTER, SORBE, SORTE, SPORE, SPORT, TOPAS

SOLUTIONS

17

OEUVRAIS, GRISBIS, OEUVRAI, BINAGE, GRISBI, JURAIS, LIBAGE, MÉGIRA, NAGEUR, NARGUE, OEUVRA, RISBAN, RUGINA, AIGUË, ARGUE, BAGUE, BARGE, BIGUE, GARIS, GRAIN, JURAI, MÉGIR, MÉGIS, NABIS, NAGIS, NIBAR, OMÉGA, RAGUE, RANIS, RUGIS, SŒUR, URINA, VRAIS

18

BALANCER, HALBRENÉ, PROCLAME, BALANCE, EXCLAME, RÉCLAME, ALCÈNE, AMENER, BALANE, CRÉNAI, ÉMANER, ENCORE, HÂBLAI, JABLAI, LANCER, AMÈNE, ANCRE, BALAI, BALAN, BLÂME, BLANC, CLAME, CRÉNA, CRÉNE, ÉMAIL, ÉMANE, ENCOR, ENCRE, ÉNÉMA, ENLIA, HÂBLA, HALAI, JABLA, LABRE, LANCE, LIANE, MENAI, MENER, PÉNAL, PROBA, RÉNAL

SOLUTIONS

19

BERCEAUX, BERCEAU, ÉCOPERA, PRÉFIXE, CORAUX, DÉFÉRA, ÉCOPER, FÉRAUX, FÉROCE, FIXERA, PRÉAUX, PRÉFIX, REFIXE, BERCE, COPRA, CRAUX, DARCE, DÉFIS, ÉCOPE, FARCE, FÉAUX, FIXER, IBÈRE, IXERA, LÈPRE, LEXIS, OPÉRA, OPÈRE, ORAUX, PERCE, PRÉAU, RÉAUX, REFIS

VICELARD, LÉVIRAT, TARDIVE, CALICE, DILATE, LIVRÂT, MALICE, RIVETA, VIBRÂT, VIRALE, BILÂT, BRICK, CALTE, CARVI, CELÂT, CIRÂT, CIVET, CLICK, CLIVE, DRIVE, ÉLIRA, LARVE, LIVET, LIVRA, MACLE, MALTE, MARDI, MARLE, MARLI, PRIVE, RACLE, RATEL, RIVET, TACLE, VÉLAR, VÊLÂT, VIBRA, VIRAL, VIRÂT

SOLUTIONS

21

BOISAGES, BÉGAIES, BODEGAS, BOISAGE, DÉFIGES, DÉGOISA, DÉGOISE, BÉGAIE, BODEGA, BOGIES, DÉFIAS, DÉFIGE, ÉGAIES, AGIES, AGIOS, BOGIE, BOISA, BOISE, DÉFIA, DÉFIE, DÉFIS, DOGES, ÉGAIE, FIELS, FIGES, FOIES, GAIES, GOBES, GODES, IODES, LÈGES, LEGOS, POISE, SAGES, SAIES, SIÈGE

22

DAMNABLE, LAMBADA, LAMBEAU, UMBANDA, ALBUGO, BANALE, BAUGEA, ALBUM, ALGUE, AMBLA, AMBLE, ANALE, BANAL, BANDA, BAUGE, BAUME, BÉGUË, BÉGUM, BLÂMA, BLÂME, BOGUE, BUGLE, BULGE, DAMNA, DAUBA, DAUBE, ÉLAND, ÉMANA, EMBUA, EMBUE, ÉMULA, ÉMULE, GLUME, LUGEA, MANDA, NABLA, NABLE

ANOREXIE, AUGERON, BAIGNER, DAIGNER, RONGEAI, BAIGNE, BAUGER, DAIGNE, DANGER, EXIGEA, EXIGER, IGNORE, IGUANE, JAUGER, RÉGNAI, RONGEA, BAGNE, BAUGE, BUGGE, BUGNE, ÉGAIE, EXIGE, EXIGU, GÊNAI, GÊNER, GENRE, GUANO, JAUGE, NAGER, ORNAI, RÉAGI, RÉGIE, RÉGNA, RÈGNE, RONÉO, RONGE, XIANG

MINUTENT, ÉMINENT, ENFUME, ENFÛTA, ENFÛTE, MINENT, MINUTA, MINUTE, MUTENT, TENUTO, VÊTENT, VOTENT, ENFLE, ENFUI, ÉTÊTA, ÉTEUF, FUMET, MEUTE, MINET, MUENT, MUFLE, NÉANT, NÈFLE, NEUME, NUENT, ÔTENT, TENTA, TENUE, TÊTUE, TUENT, VÊTUE

SOLUTIONS

25

IGNIFÈRE, PEIGNIER, REPEIGNE, FREINÉE, HERNIÉE, PEIGNÉE, PEIGNER, PÉRINÉE, PINIÈRE, ÉPEIRE, FÉRIÉE, FOIRÉE, FREINE, GENÉPI, GÉNÈRE, HERNIE, OPINER, PEIGNE, PEINÉE, PEINER, POIRÉE, ÉPIÉE, ÉPIER, ÉRINE, FÉRIÉ, FIÈRE, FINIE, FOIRE, FREIN, FRÊNE, GÊNÉE, GÊNER, GÉNIE, GENRE, IGNÉE, OPINE, PEINE, PÉRIE, PÉRIF, PIFER, PIGÉE, PIGNE, POING, POIRE, REINE, RENIE

26

NÉGOCIÂT, COGITEZ, NÉGOCIA, NÉGOCIE, COGITE, NATTAI, TATANE, TÂTANT, TÉTANT, TIGEAI, TIGEÂT, ZOÉCIE, ÉTANT, GÊNÂT, GÎTEZ, NATTA, NATTE, RATAI, RATÂT, RATTE, TANTE, TATAR, TÉTAI, TIGEA, TIGEZ

27

ÉMERGEAI, COMÉDIE, DÉGERME, DÉMÊLER, ÉMERGEA, ÉRIGEAI, GOURMÉE, REMÉDIA, REMÉDIE, COURÉE, COURGE, DÉGÈLE, DÉGRÉE, DÉMÊLE, ÉGERME, ÉLÉGIR, ÉMERGE, ÉRIGEA, ÉRIGÉE, GERMÉE, GOURÉE, GOURME, GRÊLÉE, OEDÈME, REMÈDE, AIDÉE, COURE, CUIRE, CURÉE, DÉGEL, DEGRÉ, ÉLÉGI, ÉMERI, ERGOT, ÉRIGE, GELÉE, GERME, GOURE, GRÉÉE, GRÊLE, IDÉEL, MÉDIA, MÉGIR, MÉGOT, MÊLÉE, MÊLER, TOKAI, TOMÉE, TOMER, URGEA

28

INDOLENT, ENTONNA, ENTONNE, PLANTON, PLATODE, ANNONE, DÉNOTA, DOLENT, DOMINE, DONNÂT, INDOLE, INONDE, MINDEL, MINOEN, NOMINE, PENNON, ALDOL, ANODE, ANONE, ATONE, DENIM, DEVIN, DONNA, DONNE, DOTAL, LANDE, LENTO, LEONE, LODEN, MINON, MINOT, MONDE, MONEL, MONEP, MONTA, NONNE, PENON, PLANT, TANNE, TONAL, TONDE, TONNA, TONNE

29

MARTELAGE, EXALTERA, ÉGALERA, EXALTER, MALTAGE, MALTERA, MARTELA, TRAMAGE, ALERTA, ALTÉRA, BARÉTA, ÉGALER, EXALTE, GALÉRA, GÂTERA, LAMAGE, MALART, MALAXE, MALTER, MARTEL, MATERA, RAMAGE, RELAXE, RÉTAMA, RETAXE, TALERA, ARMÂT, ARTEL, BALTE, ÉGALA, ÉGALE, ÉTAGE, ÉTALA, ÉTAMA, EXTRA, GALET, GAMBA, GÂTER, LAMÂT, MALTA, MALTE, MARLE, MARTE, MATER, PALAN, PALET, PALMA, PATER, PÂTRE, RALÂT, RAMÂT, RELAX, TALER, TRAMA

30

PORTIQUE, TROPIQUE, OPTIQUE, TOPIQUE, CLIQUE, ENQUIT, OTIQUE, PLIQUE, POTINE, TROQUE, BÉNIT, ÉQUIN, MOINE, MOQUE, NIQUE, OPINE, OPIUM, PIQUE, PITOU, POQUE, POTIN, QUINE, QUIPO, ROQUE, ROTIN, ROUIT, TIQUE, TOQUE, TROUE

31

DÉGRAFÉE, AGRAFÉE, DÉCOTÉE, DÉGRAFE, RADOTÉE, AGRAFE, CAGEOT, CODERA, DÉCOTE, DÉGAZA, ÉCOTÉE, FARDÉE, FARDEZ, FÉDÉRA, GAZERA, GRADÉE, GRADEZ, RADOTE, REDOWA, ACÉRA, ACTÉE, AIGRE, CÉDÉE, CODÉE, CODER, CODEZ, COTÉE, DOCTE, DOTÉE, ÉCOTE, FADÉE, FADER, FADET, FADEZ, FARDE, GAZER, GÉODE, GRADE, GRÉAI, RADÉE, RADEZ, RÉAGI, RECTO

32

RETONDUE, LUTTERA, MONDERA, MOTTERA, RETONDE, RETONDU, TONDEUR, DÉFÉRA, DEUTON, FEUTRA, FEUTRE, GUÉRET, LUGERA, LUTERA, LUTTER, MOLURE, MONDER, MOTTER, NOTERA, REFUGE, RÉFUTE, RETOND, TONDUE, DÉFET, ÉTUDE, FARTE, FERTÉ, FERUE, FUDGE, FURET, FUTON, GUÈRE, LOTTE, LUGER, LUTER, LUTTE, MONDE, MOTET, MOTTE, NOTER, NOTRE, NUERA, ÔTERA, REDUT, TÉTON, TÉTRA, TÊTUE, TONDE, TONDU, TUERA, ULTRA

33

PATRONAGE, EGROTANT, PATRONAT, TOURNAGE, MONTAGE, RONGEÂT, BANTOU, NAGEÂT, ORGEAT, PATRON, PRÔNÂT, RONGEA, ROTANG, ROTANT, TOURNA, TOURTE, TRÔNÂT, URGEÂT, APHTE, ATOUR, BÂTON, EPROM, ÉTRON, GANTA, GANTE, GRUON, HURON, MONTA, MONTE, MORNA, MORTE, NAGEA, ORNÂT, OTAGE, ÔTANT, PRÔNA, RONGE, TANTE, TONTE, TORTE, TRÔNA, URGEA

34

TRADUIRE, RECUIRA, SECURIT, ADIRÉS, ARDUES, ÉCRIRA, ÉRUDIT, PARTIR, RADIUS, RECUIT, SURIRA, ADIRÉ, ARDUE, ARDUS, CRUES, CUIRA, CUIRE, CURES, DIRES, DRUES, DRUSE, DUCES, DUDIT, DURES, DURIT, ÉCRIT, ÉCRUS, PARDI, PARTI, REÇUS, RIRES, SUCER, SUCRE, SUDRA, SURIR, SURIT, TIRES

PANIQUER, BITUMAI, IMPAIRE, MANIQUE, MANQUER, PANIQUE, BITUMA, HUMAIN, IMPAIR, MANIER, MANQUE, MAQUER, NAQUÎT, NIAQUE, NIQUER, OPAQUE, OPTIMA, PANIER, PRAIRE, RAQUER, REQUÎT, AMIBE, AMUÏT, ÂNIER, BITUE, HUMAI, IMPÔT, MAIRE, MANIE, MAQUE, NIQUA, NIQUE, PAIRE, PÂQUE, PARMI, POTUE, RAIRE, RAQUE, REBUT, TOMAI, TOMAN, TOPAI, TUBER

ADORERA, IODLERA, PODAIRE, POIREAU, PORREAU, ADORER, AIDEAU, AIDERA, AIRERA, DÉFAUT, DORERA, ÉRODAI, HÉRAUT, IODERA, IODLER, RHODIA, RIDEAU, RIDERA, RODERA, ADIRÉ, ADORE, AIDER, AIRER, ARROI, DORER, ÉRODA, FÉRAL, FERIA, FERLA, FERRA, FEULA, HORDE, IDÉAL, IODER, IODLA, IODLE, PODIA, POIRE, PRÉAU, RÂLER, RELUT, RIDER, RODAI, RODER, ROIDE, TUERA

37

BOUGERIONS, FOUGERIONS, FONDOIRS, OBÉRIONS, REBONDIS, FONDOIR, GÉRIONS, LÉGUONS, REBONDI, REBONDS, BONDIR, BONDIS, BOUGER, BOUGES, BOXONS, FONDIS, FONDRE, FOUGER, FOUGES, LÉSION, NOBELS, NOIRES, REBOND, RÉSIDU, RIDONS, SNOBER, BÉGUË, BONDI, BONDS, BOUGE, BOXON, DIRES, DRÈGE, ÉBOUE, FONDS, FONDU, FOUGE, GÉSIR, LÈGUE, NOBEL, NOIRE, NOIRS, NOISE, OBELS, REBUE, RIONS, SNOBE

38

RELÂCHER, JACHÈRE, RELÂCHE, CAHUTE, CHALET, CHÉRER, CHERRE, CHUTER, FÂCHER, GRÊLÂT, GRÊLER, GUERRE, LÂCHER, RÉGLÂT, RÉGLER, TACHER, THALER, AÉRER, ALGUE, CALER, CHÂLE, CHENU, CHÈRE, CHUTE, FÂCHE, GELÂT, GELER, GÉRER, GRÉÂT, GRÊLA, GRÊLE, GRENU, GUÉÂT, GUÈRE, HALER, HÉLÂT, HÉLER, LÂCHE, NÈGRE, RÉALE, RÉGLA, RÈGLE, TACHE, TALER, TALET, TERRE, THUNE, TJÄLE, TUNER

AMBRERAI, AMURERAI, ABRIERA, AMBRERA, AMURERA, BRAIERA, MURERAI, ABRIER, AIRERA, AMBRAI, AMBRER, AMURAI, AMURER, ARAIRE, MUERAI, MÛRAIE, MURERA, RAIERA, RÉARMA, RUERAI, ARRIA, ABRIE, AIRER, AMBRA, AMBRE, AMURA, AMURÉ, AURAI, BRAIE, MUERA, MURAI, MURER, RAIRE, RIEUR, RUERA

APPELÉES, ADULÉES, APPELÉE, APPELÉS, APPUIES, ÉLUDIEZ, PÉLÉENS, SUPPLÉE, ADULÉE, ADULES, APPELÉ, APPELS, APPUIE, DIÈNES, DIÉSÉE, DIESEL, ÉLUIEZ, LEVÉES, PAUSEZ, PÉLÉEN, PELÉES, PLUIES, PULSÉE, PULSEZ, SÉNEVÉ, ADULE, APPEL, APPUI, DIÈNE, DIÈSE, ÉLUDA, IULES, LÉSÉE, LÉSEZ, LEVÉE, LÈVES, PAUSE, PELÉE, PÈLES, PLUIE, PUIEZ, PULPE, PULSE, SEIZE, SELVE, SUIEZ, ULVES, USNÉE, VÊLES, VELUS, VENEZ

SOLUTIONS

MAGNOLIA, MALIGNE, VAGINAL, AGAMIE, AGONAL, AGONIE, ALIGNE, ALOGIE, AMIGNE, ANIMAI, GALION, GAMINA, GAMINE, IGAMIE, IGNAME, LAOGAI, MAGANE, VAGINÉ, AGAME, AGAMI, AGONI, AMIGO, AMINE, ANIMA, BAGNE, FAGNE, FLÂNE, GALON, GAMIN, GOLFA, IGAME, IMAGO, LAGON, LIGIE, LIGNA, LIGNE, MAGIE, MAGMA, MAGNA, MAGNE, MANGA, MANIE, OFLAG, OIGNE, VAGAL, VAGIN

ENCRAGES, FONÇAGES, ÉCHARNE, ENCAGÉE, ENCAGES, ENCRAGE, ENRAGÉE, ENRAGES, FONÇAGE, MÉNAGÉE, MÉNAGES, ARCHIS, CHOANE, COACHS, ENCAGE, ENRAGE, GÂCHIS, HACHIS, MENAGE, MOCHES, RACHIS, RANCHS, ARCHI, CAGÉE, CAGES, CANOË, CARNE, CHAHS, CHÔME, COACH, CRÂNE, ÈCHES, ENCRA, FONÇA, MOCHE, NAGÉE, NAGES, NAGIS, NOCES, RACHI, RAGES, RANCH, SÉCHA, SÈCHE, SHOGI

SOLUTIONS

CROQUETTE, BIQUETTE, COQUETTE, ROQUETTE, BICOQUE, COQUETA, COQUETÉ, CROQUÉE, CROQUET, AÉTITE, BIQUET, BUTTÉE, COQUET, CROATE, CROQUE, LUETTE, QUETTE, ROQUET, TAQUÉE, TAQUET, BIQUE, BUTÉE, BUTTA, BUTTE, COATI, COQUE, CULTE, LITÉE, LUTÉE, LUTTA, LUTTE, OCULI, ORQUE, PIÉTA, PIÉTÉ, PITTA, PLIÉE, QUÊTA, QUÊTE, ROQUE, TAQUE, TILTE

EXFOLIER, NÉFLIERS, TRÉPHONE, EXFOLIE, EXPERTS, NÉFLIER, PERSANE, PERSONÉ, ANOXIE, DÉPOSA, EXPERT, EXPIER, EXPOSA, PERSAN, REPOSA, XIPHOS, ASTRE, EXPIE, EXPOS, FOLIE, HERSA, PERSO, PHONE, PIERS, PLIER, REPLI, REPOS, THANE, XHOSA, XIPHO

45

BUCHETTE, TRÉBUCHE, ÉCHELON, HÉBÉTER, MOLETTE, ALERTE, ANOMIE, BÊCHÉE, BÊCHER, BLATTE, BLETTE, BUCHÉE, BÛCHER, CHERTÉ, ÉTALON, HÉBÉTA, HÉBÈTE, HIÈBLE, LATTÉE, LATTER, MÉCHÉE, MÉCHER, MOLETA, MOLETÉ, NATTÉE, NATTER, BÊCHE, BÊLÂT, BELON, BÉMOL, BÉTEL, BETTE, BÛCHE, CETTE, CHÔME, CUBÉE, CUBER, ÉCHÉE, ÉCHER, ÉCHET, ÉTÊTA, HÉLÂT, LATTE, LETTE, MÈCHE, NATEL, NATTE, REBEC, REBUE, TALÉE, TALER, TALET, TALON

46

LIBERTINE, LIBÉRIEN, LIBÉRINE, LIBERTIN, IBÉRIEN, LIBERTÉ, LITERIE, NITRILE, BILIÉE, BOILER, ENLIER, LIBÈRE, LITRÉE, NITRÉE, RÉÉLIT, BÉRET, BIÈRE, BILÉE, BILER, BILIÉ, BOIRE, BOXÉE, BOXER, ÉLIER, ÉLIRE, ENLIE, ÉRINE, ÉTIRE, IBÈRE, ÎLIEN, INULE, IRIEN, ITÈRE, LEXIE, LIBER, LINER, LITÉE, LITER, LITRE, LUNÉE, NITRE, OBÉIE, OBÉIR, OBÈRE, OBIER, RÉÉLU, RELIE, RELIT, TENIR, TIRÉE, TRIÉE, TRINE, UNITÉ

SOLUTIONS

AGRONOME, ERGONOME, ADÉNOME, DÉNOTÉE, DÉNOTER, MÉNAGÉE, MÉNAGER, NAGEOTE, RONÉOTE, ADORÉE, DÉNOTE, ERGOTE, ÉRODÉE, GOÉMON, GONADE, GORÉEN, MÉNADE, MÉNAGE, MONADE, MONÈME, ONAGRE, ORGANE, RODAGE, ADORE, AGRÉÉ, ANODE, DORÉE, DOTÉE, DOTER, ERGOT, ÉRODA, ÉRODE, GÉODE, GODÉE, GORET, GOTON, GREEN, MENÉE, MÉTÉO, NAGÉE, NAGER, NOÈME, NOTÉE, NOTER, RODÉE, RONÉO, TÉNOR, TOMÉE, TORÉE, WAGON

GROUPENT, GROUPEUR, PUANTEUR, ROULANTE, GROUPER, LOUPENT, OURLENT, ROULANT, ALUNER, GROUPE, LOUANT, LOUENT, LOUEUR, LOUPER, OURLER, OURLET, PÉTUNA, PROLAN, PUANTE, ROUANT, ROUENT, RUPENT, TURNEP, ALUNE, ANTRE, AUNER, GLÉNA, GROUP, LOUER, LOUPE, LUEUR, OURLE, PÉNAL, PENTU, PÉTUN, PLEUR, PLEUT, PROUE, PRUNE, PUANT, PUENT, RÉNAL, ROUAN, ROUER, ROUET, ROULA, RUANT, RUENT, RUPER, TUEUR, TUNER, TURNE, UNTEL

SOLUTIONS

FONCTIONNER, FONCTIONNE, GUÉRIRONT, FONCTION, NOUERONT, NUERONT, ONCTION, ROGNOIR, TORONNE, FORENT, GUENON, GUÉRIR, GUÉRIT, NOROÎT, NOTION, NOUENT, ORONGE, RIRENT, RIRONT, RONRON, ROUENT, TONNER, TROGNE, FOUGE, GORON, GUÉRI, IRONE, IRONT, NOIRE, NONNE, NOTRE, NOUER, NUENT, RENON, ROGNE, ROGUE, RONÉO, RONGE, RÔTIR, ROUGE, TONER, TONNE, TORON, TOUER, TRONC, TRÔNE, TROUE

AGRÉMENTE, AGRÉMENT, ARGENTÉ, CÉMENTE, ÉCUMENT, GERMENT, RÉGENTE, RÈGLENT, AGENTE, ARGENT, ARMENT, CÉMENT, CERMET, ÉCUMEZ, ÉLUERA, GAZENT, GERMEN, GERMEZ, RAGENT, RECULE, RÉGENT, RÉGLET, RÉGLEZ, AGENT, ARMET, ARMEZ, ARZEL, CULTE, ÉCULE, ÉCUME, ÉGARE, ÉLUER, ÉMULE, GENTE, GERME, LÉGER, LENTE, LUMEN, MENTE, MEULE, MUERA, MULET, NÈGRE, RAGEZ, RECUL, REGEL, RÈGLE, REMET

MEULIÈRE, CULIÈRE, DÉCIMÉE, DÉCIMER, EMPIRÉE, LUMIÈRE, MEULIER, REMÉDIE, CIMIER, DÉCIME, DILUÉE, DILUER, DIMÈRE, ÉCIMÉE, ÉCIMER, ÉCUEIL, ÉCUMÉE, ÉCUMER, EMPIRE, LIMIER, MÉDIUM, MÉMÈRE, CIRÉE, DÉÇUE, DEMIE, DEUIL, DILUE, DULIE, ÉCIME, ÉCUME, ÉMERI, ÉMIÉE, ÉMIER, IMIDE, IMPIE, LIEUE, LIMÉE, LIMER, MIRÉE, REMUE, RIMÉE

ENFILAGE, FLUIDITÉ, GALIDIE, GÉLIFIE, ENFILA, ENFILE, ENFUIE, ENFUIT, ENFÛTE, ÉTUDIE, FILAGE, GUELFE, INFIME, INFLUE, INFULE, ALGUE, ALIEN, DILUE, DUITE, DULIE, ÉLIME, ENFLA, ENFLE, ENFUI, FILET, FILME, FLUET, FLÛTE, FUITE, GALET, GÉLIF, NÈFLE, TUILA, TUILE

SOLUTIONS

53

RENVOYER, VERRIÈRE, ÉNERVER, ENVOYER, RÉNOVER, RENVOYÉ, VERRIER, BLÊMIR, BLEUIR, BREUIL, BRIMER, ÉNERVE, ENVOYÉ, LIERNE, LIERRE, LIÈVRE, MIÈVRE, RELIRE, RÉNOVE, RÉVEIL, RÉVÈRE, BLÊMI, BLEUI, BRÈVE, BRIME, ÉLIRE, ERRER, ÉVEIL, LEVER, LÈVRE, LIMER, MENER, MENON, MILER, MIRER, NEVEU, NOVER, NOYER, RENON, RÊVER, RIMER, VERNE, VERRE, VOYER

54

ÉCRITURE, LECTEUR, LECTURE, RÉCRITE, RECRUTE, RECTEUR, RETIRER, BECTER, CÉRITE, ÉCRITE, ÉTIRER, FRUITÉ, IOURTE, NEUTRE, OUTRER, RÉCRIT, RECRUE, RECRUT, RÉCURE, RETIRE, RIOTER, TERCER, TERRER, TERRIR, TOUEUR, TOURNE, URÈTRE, BECTE, ÉCRIT, ÉCRUE, ÉCURE, ERRER, ÉTIRE, FRUIT, FURET, OUTRE, RÉCRÉ, RECRU, RECTO, REÇUE, RIOTE, TERCE, TERRE, TERRI, TIRER, TOUER, TUEUR, TURNE

SOLUTIONS

ATTERRÉE, BARATTÉE, BARATTER, BATTERIE, RABATTRE, ABATTÉE, ABATTRE, ARBRIER, ATTERRE, ATTERRI, BARATTE, HÉTÉRIE, RABATTE, ABATTE, ABRIÉE, ABRIER, BATTÉE, BATTRE, BRETTA, ÉTHÉRÉ, ÉTRIER, HERBÂT, TERRÉE, ADRIC, AÉRÉE, AÉRER, ARBRE, ATHÉE, BATTE, ÉTHER, HERBA, HÊTRE, RABAT, RATTE, TABAR, TERRE, TERRI, THÈTE, TRIÉE, TRIER

BIGARRÉE, IMMIGRÉE, BIGARRÉ, IMMIGRA, IMMIGRE, REGIMBA, APOGÉE, BARÈGE, BARRÉE, BIPARE, IMPAIR, MIRAGE, PIGERA, RAGRÉE, RÉAGIR, RÉGIRA, RIPAGE, VERRAI, AGRÉÉ, AIGRE, BARGE, BARRE, BARRI, BIGRE, ÉGARE, ERRAI, GARÉE, GÉRAI, GRÉAI, GRÈVE, LABRI, LARGE, LARGO, MIGRA, MIGRE, PAGÉE, PAGER, PAGRE, PARÉE, PIGEA, PIGÉE, PIGER, RAGER, RÉAGI, RÉGAL, RÉGIR, VERGE, VERRA

57

OLIVÂTRE, ENVIDÂT, OLIVADE, TRÉPIDA, TRÉPIDE, DAVIER, DÉVIER, DÉVIRE, DRIVÂT, ENVIDA, ENVIER, ÉVIDÂT, MÉDIRE, PÉRIME, POIVRE, PRIVÂT, REPOLI, ADIRÉ, AVIDE, AVRIL, DEMIE, DÉVIE, DRIVA, DRIVE, ÉMIER, ENVIE, ÉVIDA, ÉVIER, LIVRE, MADRÉ, OLIVE, PERDE, PÉRIL, PLIER, PLOIE, POIRE, POLIE, POLIR, PRIME, PRIVA, PRIVE, REPLI, RIDÂT, RIVÂT, TRIME, TRIOL, TRIPE, VIDÂT

58

BRIQUANT, CANTIQUE, ANTIQUE, BORIQUE, BRIQUÂT, ÉPUÇANT, PIQUANT, POUÇANT, ACQUIS, ACQUIT, BISHOP, BRIQUA, BRIQUE, ÉPUÇÂT, HOUANT, NAQUIS, NAQUÎT, ORBITA, PIQUÂT, POUÇÂT, QUIPOS, SOUPIR, BIQUE, BISOU, BOÎTA, CAQUE, CATIR, CATIS, CUIRS, CUITA, ÉPRIS, ÉPRIT, ÉPUÇA, HOPIS, HOUÂT, IPÉCA, PÉCAN, PIQUA, PIQUE, POUÇA, POUCE, PUANT, QUANT, QUIPO, RIPOU, SOUPE, TAQUE, TAUPE, TIQUA, TIQUE

DÉMARRAGE, ARRIVAGE, DÉMARRA, ÉMARGEA, GRAVIRA, RAGRAFE, AGRAFE, ARRIVA, ÉMARGE, GRAVIR, MARGEA, RAVIRA, RIVAGE, VIRAGE, AGAME, CLADE, CLAME, CRADE, CRAME, DRAME, ÉGARA, ÉGARD, FARAD, GARDE, GRADE, GRAVI, LARDE, LARGE, LARME, LAVRA, MARGE, MARRA, MARRI, RAFLA, RAGEA, RAVIR, RIVAL, VALGA, VIRAL

DÉJAUNIS, DÉJOUONS, JAUNISSE, DÉJAUNI, INNOMÉS, SINUONS, UNISSON, AUNONS, CAJUNS, DÉJOUA, DÉJOUE, DÉMONS, DESSIN, DOUONS, INNOMÉ, JAUNIS, JOUONS, MÉSONS, MESSIN, NOUONS, SÉDONS, SEMONS, UNISSE, ACMÉS, CAJOU, CAJUN, DÉMON, DÉMOS, DÔMES, DOSSE, JAUNI, MÉSON, MODES, NINJA, NOMES, NONOS, NUONS, SÉDON, SINON, SINUA, SINUE, SODÉS

61

ALLÉCHÉE, ALLÈCHE, ALLÉGÉE, ALMÉLEC, AICHÉE, AILLÉE, ALLÈGE, CHIALE, CIGALE, CILLÉE, GALLEC, ICELLE, LAÎCHE, LÉCHÉE, LICHÉE, LICHEN, LIÉGEA, LIÉGÉE, MÉCHÉE, OCELLE, AGILE, AICHE, AILÉE, AILLE, ALLÉE, ALMÉE, CELAI, CELÉE, CELLA, CELLE, CHIÉE, CHILE, CILLE, ÉCHEC, ÉCHÉE, ÉGÉEN, ÉLIÉE, GALLE, GELAI, GELÉE, GILLE, LÈCHE, LICHE, LIÈGE, MÈCHE, MÊLAI, MÊLÉE, MÉLIA

62

ANALOGIE, ÉGOHINE, FÉLONIE, ORANGEA, ORIGNAL, ALGINE, ALOGIE, ÉLONGE, ENLOGE, HONGRA, HONORA, IGNORA, LANGEA, LONGEA, ORANGE, RANALE, RANGEA, RIGOLA, RIGOLE, RONGEA, ALGIE, ALGOL, ANALE, ARGOL, ARGON, ÉLOGE, FÉLON, FLÂNA, FLÂNE, GÉNAL, GÉNIE, GIRON, GNÔLE, GOLFA, GOLFE, GRAAL, IRONE, LANGE, LOGEA, LONGE, NANAR, NÉGRO, ORGIE, RANGE, RONÉO, RONGE

SOLUTIONS

PRÉAMBULE, REBELLÂT, REBELLA, ALLURE, APPERT, APPRÊT, BULLÂT, ÉPAULE, HEURTE, LABEUR, LAMBEL, LAMPER, MAPPER, PEUHLE, TABULE, TAPEUR, TÉPALE, TRUBLE, AMBLE, BALLE, BÊLÂT, BEURK, BLUET, BULLA, BULLE, ÉLUÂT, ÉLUER, HEURE, HEURT, LABEL, LAMPE, LAPER, LAURE, MALLE, MAPPE, MAURE, PALLE, PAPET, PEUHL, PEULE, PRÉAU, PRÉPA, RÉALE, REBAT, REBUE, TABLE, TALLE, TAPER, TAULE, TAURE

64

PLEUVOTA, AVEUGLE, ÉTAMAGE, POTELET, VELTAGE, ÉLEVÂT, ÉTAMÂT, ÉTUVÂT, GUELTE, LÉGUÂT, MATÉTÉ, MUTAGE, POTELÉ, TAGUÂT, TAVELÉ, TÉLÉGA, VÊTAGE, ATÈLE, AUGET, AUTEL, AVOYÉ, ÉLEVA, ÉTAGE, ÉTAMA, ÉTÊTA, ÉTUVA, ÉTUVE, GUÈTE, LÉGAT, LÉGUA, LÈGUE, LEPTA, LEPTE, LEVÂT, MAUVE, OVATE, PELTA, PELTE, PLEUT, POÊLE, POÈTE, TAGUA, TAGUE, TAVEL, TUAGE, VELET, VELTE

IBÉRIQUE, ÉTRIQUÉ, OPTIQUE, RÉTIQUE, CÉRIUM, ÉTIQUE, PIQUER, PIQUET, PIQÛRE, POQUER, POQUET, REMUER, RETUBE, TIQUER, TIREUR, TRIEUR, TRIQUE, URÉMIE, BEURE, BUIRE, BUTER, CRIME, ÉCRIE, ÉCRUE, FÉMUR, FÉRIÉ, FERMI, FÉRUE, MÛRIE, MUTER, OPTER, PIQUE, PITRE, POQUE, REBUE, REBUT, REMUE, RIEUR, TIQUE, TUBER

HERCULÉEN, HUMECTER, HERCULE, HUMECTE, RECULÉE, CENTRE, CHERTÉ, CRÊTÉE, ÉCRÊTE, ÉCULÉE, ÉCUMÉE, ÉLUENT, ENCULE, ÉTEULE, LÉCHER, MÉCHER, MEULÉE, MUCHER, RÉCENT, RECULE, TERCÉE, CRÊTE, CULÉE, ÉCHER, ÉCHET, ÉCHUE, ÉCULE, ÉCUME, ÉLUER, ENCRE, ENTER, ENTRE, HUENT, HUMÉE, LÈCHE, LERCH, LUCRE, MÈCHE, MEULE, MUCHE, MUENT, NEUME, RECEL, REÇUE, RECUL, TERCE, VÉCUE, VERTE, VEULE

SOLUTIONS

ENDUCTION, MONDERONT, RÉDUCTION, MINORENT, DEVRONT, INONDER, ONCTION, INONDE, MINORE, MONDER, MOTION, NOROÎT, NOTION, TIMORÉ, DENTU, MINON, MINOT, MITON, MONDE, MONOÏ, MORNE, MORVE, REDUT, RENDU, RENOM, RENON, RONDE, ROTIN, TIMON, TONDE, TONDU, TONER, TORON, TORVE, VENDU, VROOM

OBSERVÂT, OBSERVA, TIMBRÂT, TIMBRES, TOMBERA, BRAVES, LOMBES, OBÉRÂT, OMBRÂT, OMBRES, OPÉRÂT, REBOIT, REVOIT, SEVRÂT, TIMBRA, TIMBRE, TOMBER, TOMBES, TOPERA, ÂTRES, BOKIT, BRAVE, BRAVO, OBÉRA, OMBRA, OMBRE, OPÉRA, RAVES, REBOT, RÊVÂT, SEVRA, TARES, TOMBE, TOPER, TOPES, VOMIT

SOLUTIONS

69

CARNIVORE, CAROLINE, APIVORE, CÂLINER, CARLINE, CAROLIN, LAPINER, RAPINER, ALPINE, CÂLINE, CARLIN, CLIVER, CLONER, ENRÔLA, ENVOLA, LAPINE, LORGNA, NÉROLI, PAROLI, RAPINE, REVOLA, VÉROLA, VOLCAN, ALPIN, CÂLIN, CARNE, CLAPI, CLIVE, CLONE, CLORA, CLORE, ENVOL, FRÔLA, HIVER, JORAN, LAPIN, LINER, LORAN, LOVER, NOVER, OLIVE, ORNER, OVINE, PILON, RAPIN, VINER

70

INCROYABLE, CROYABLE, ABOULER, CROULER, REMOULA, ROUBLER, ABOULE, BOLÉRO, BOULER, CROULA, CROULE, INCUBA, IOULER, MOULER, ROUBLA, ROUBLE, ROULER, ROYALE, ALBUM, ALUNI, BAYER, BAYLE, BAYOU, BOULA, BOULE, CULER, GROLE, INULE, IOULA, IOULE, LAYER, LOYER, MELBA, MELON, MÉROU, MOULA, MOULE, MOYER, MULON, NIÔLE, NIOLO, NIOLU, NOBLE, NOUBA, RELOU, RELUI, ROULA, ROULE, ROYAL

71

ENVENIMÉE, ENVENIMER, ENVENIMEZ, ENVENIME, ÉCRÉMÉE, ÉCRÉMEZ, BERCEZ, CRÉMÉE, CRÉMEZ, ÉCRÈME, ENCRÉE, ENCREZ, NIMBÉE, NIMBER, NIMBEZ, BERCE, BERME, BERNE, BINÉE, CERCE, CERNE, CRÉEZ, CRÈME, ENCRE, IBÈRE, MINÉE, NIMBE, REBEC, RECEZ

72

DÉCALANT, DÉCAPANT, DEALANT, DÉCALÂT, DÉCAPÂT, ÉCALANT, APACHE, BÊLANT, CALANT, CAPANT, CELANT, DEALÂT, DÉCALA, DÉCAPA, ÉCALÂT, HÉLANT, JUTANT, LAPANT, PALACE, RAPACE, ACHEB, APLAT, BÉANT, BÊLÂT, CALÂT, CAPÂT, CELÂT, CHEAP, CLEAN, DEALA, ÉCALA, ÉCLAT, HÉLÂT, JALAP, JUTÂT, LÂCHE, LAPÂT, PÆAN, PALAN, PARLA, PARLE, PLACE, PLANT, TALED, TJÄLE

SOLUTIONS

7 3

DÉFINITIF, DÉFINIRA, INTUITIF, MORTIFIE, DÉFINIR, DÉFINIT, INFIRMA, MARTINI, RAMIFIE, TRIFIDE, AMORTI, DÉFINI, FINIRA, MARTIN, RIFIFI, TIRADE, UNIFIE, UNITIF, DÉFIT, DRIFT, ÉFRIT, FARDE, FEINT, FINIE, FINIR, FINIT, FRIMA, FRUIT, FUIRA, FURIE, INFRA, INUIT, MAORI, MARDI, MARIN, MORDE, NITRA, NUIRA, RADIE, RADIN, TRIMA, UNIRA

LUCIDITÉ, ACIDITÉ, COTIDAL, AUDITÉ, BARDIT, BARDOT, BLIAUD, BRUITE, CULARD, ÉTOILA, FÉODAL, IDIOTE, LADITE, OURDIT, OURLAI, RADOTE, RAIDIT, AUDIO, AUDIT, BRUIT, CODAI, COÏTE, CULAI, DILUA, DOUAI, DOUAR, DUITE, DURAI, DURAL, FILAO, IDIOT, IODAI, LIARD, LIDAR, LIFTE, OCULI, OURDI, OURLA, RADIA, RADIO, RAIDI, TOILA

SOLUTIONS

EXCITANTE, EXCITANT, EXTRANET, PARTANCE, PARTANTE, CRANTEZ, EXTRANT, PARTANT, PARTENT, BÂTENT, BÉANTE, BITANT, BITENT, CITANT, CITENT, CRÂNEZ, CRANTE, ENTÊTA, EXCITA, PANTET, PARTEZ, TANCEZ, TENTEZ, TEXANE, ABÊTI, AXENT, BÂTEZ, BÉANT, BITEZ, CANEZ, CITEZ, CRÂNE, ENTEZ, ÉTANT, ÉTÊTA, EXTRA, PANEZ, PANTE, PARTE, PARTI, TACET, TANCE, TANTE, TENTE, TÉTEZ, TÉTRA, TEXAN

76

GREFFIER, IRRÉFUTÉ, AFFÉRER, AFFÛTER, GREFFER, RÉFUTER, AFFÈRE, AFFÛTE, FERLER, FERRER, FERRET, FIXAGE, FLÛTER, GAFFER, GREFFA, GREFFE, REFIXA, RÉFUTE, RIFFLE, AFFÛT, AGREG, EFFET, ERRER, FÉRIÉ, FÉRIR, FERLE, FERRE, FIÈRE, FLÛTE, FRÈRE, FRIRE, GAFFE, GÉRER, IXAGE, LUFFA, LUTER, RELUT, RIFFE, TERRE, TERRI

SOLUTIONS

DÉPLORÉE, DÉPLORER, DÉPRIMÉE, OPPRIMÉE, DÉPLOIE, DÉPLORE, DÉPRIME, EMPERLA, EMPERLE, ÉPLORÉE, OPPRIME, PÉRIPLE, REPERDE, RÉPRIME, APORIE, ÉPLOIE, ÉPLORE, PALPÉE, PALPER, PÉRIME, POIRÉE, PRIMÉE, REPERD, RIPPER, APIOL, ÉPIEE, ÉPIER, LAPIÉ, LÈPRE, MERDE, MERLE, MIRÉE, MIRER, OPALE, PALPE, PERDE, PÉRIE, PERLA, PERLE, PERME, PLOIE, POIRE, PRIÉE, PRIME, PROIE, RIMÉE-

VÉHICULER, VÉHICULE, CÉRUMEN, ENCULER, LEUCINE, LINCEUL, PHILTRE, PINCEUR, PINÇURE, ÉMULER, ENCULE, MÉNURE, MERLIN, MEULER, MUCINE, PINCER, PLIURE, TREUIL, CELUI, CRÈME, CRUEL, CULER, ÉCRUE, ÉCUME, ÉMULE, ENCRE, HEURE, HEURT, INULE, LÉMUR, LIURE, LUCRE, LUMEN, MENUE, MERCI, MEULE, MEURE, MEURT, NEUME, PINCE, REÇUE, RECUL, RELUE, RELUI, REMUE, RÉUNI, RUINE, RUMEN, VENUE, VEULE

79

PYRAMIDE, GAMINER, GARDIEN, DÎNERA, DRAINE, GAINER, GAMINE, MARINE, MÉDIRA, MIMERA, MINERA, PARIDÉ, RÉDIMA, AIDER, AIMER, AMIDE, AMINE, APYRE, ARIDE, ARIEN, DÉNIA, DENIM, DÎNER, DRAIE, DRAIN, GAINE, GAMIN, GARDE, KAREN, KYRIE, MAIRE, MARDI, MARIE, MARIN, MÉDIA, MIMER, MINER, NIERA, PAÏEN, PAIRE, PARDI, PARIE, PARMI, RAIDE, RAINE, RAMIE, RENIA

80

MONTAGNE, ANÉMONE, AUTOMNE, MONTAGE, NAGEOTE, NÉGATON, NORMENT, AGENTE, ATONIE, ÉNORME, GAGENT, MENTON, MENTOR, NIGAUD, ROTANG, TAGINE, AGENT, ANONE, ATOME, ATONE, ÉTAGE, ÉTANG, GAGNE, GANTE, GEINT, GÊNÂT, GENTE, GNOME, GUANO, MENÂT, MENON, MENTE, MONTA, MONTE, MORNE, NORME, OMÉGA, OTAGE, RONGE, TAGGE, TENON, TÉNOR, TONIE, TUAGE

À propos de l'auteur — Gilles Couture

Tout en exerçant le métier de journaliste, cet amoureux de la langue française et amateur de jeux depuis toujours a été coéditeur de la revue de la Fédération québécoise des clubs de Scrabble francophone pendant 7 ans. Il s'est alors découvert une passion pour la création de jeux de lettres.